Recettes de Anne-Catherine Bley

soupes du jour

Photographies de Akiko Ida

• MARABOUT CÔTÉ CUISINE •

sommaire

Soupes chaudes

Velouté de tomates au gingembre	4
Crème d'ail	6
Velouté de brocolis	8
Crème de champignons	10
Potiron à la cannelle	12
Velouté de potiron au bacon	14
Velouté de potimarron	16
Soupe de pois chiches de l'Orient	18
Potage du Barry	20
Chou-fleur au cumin	22
Pois cassés au lard	24
Lentilles du Puy à la coriandre	26
Lentilles du Puy à la saucisse de Morteau	28
Céleri au bleu d'Auvergne	30
Soupe de châtaignes aux lardons	32
Crème de verdure au chorizo	34
Soupe de chou portugais au haddock	36
Carottes à la coriandre fraîche	38
Carottes au lait de coco	40
Petits pois à la menthe	42
Courgettes à la Vache qui rit	44
Soupe d'orties	46

Soupes froides

Gaspacho   **48**
Potage d'été à la betterave rouge   **50**
Soupe glacée de concombre à la menthe   **52**
Crème de courgettes au curry   **54**
Soupe glacée d'épinards à l'avocat   **56**
Vichyssoise   **58**

Desserts

Gâteau au chocolat au beurre salé   **60**
Crème de carottes au lait de coco et aux épices   **62**

Velouté de tomates au gingembre

Pour 5 personnes

1 kg de tomates bien mûres
(ou 1 kg de tomates pelées)

2 c. à soupe de concentré
de tomates

1 gros oignon

2 gousses d'ail

1 c. à café d'huile d'olive

quelques brins de thym,
1 feuille de laurier

1 petit morceau de
gingembre frais (3 c. à café
émincé)

1/4 de litre d'eau

1/2 c. à café de sucre

10 cl de crème fleurette

sel, poivre

Toute l'année

Épluchez l'oignon, l'ail et le gingembre. Émincez-les finement. Lavez les tomates, ôtez le pédoncule et coupez-les en morceaux.

Dans une cocotte, faites revenir doucement l'oignon et le gingembre dans un peu d'huile d'olive. Puis ajoutez l'ail, le concentré de tomates ainsi que les tomates coupées en morceaux.

Attachez la feuille de laurier et le thym ensemble (accrochez l'autre extrémité de la ficelle à la poignée de la casserole, c'est le meilleur moyen de ne pas oublier ce bouquet garni au moment de mixer…). Assaisonnez de sucre et de sel.

Ajoutez l'eau et portez à ébullition. Puis réduisez le feu, couvez et laissez frémir pendant 15 à 20 minutes. Retirez le bouquet garni.

Mixez la soupe finement. Ajoutez la crème fraîche et rectifiez l'assaisonnement.

Idée **Pour une autre version de cette soupe, on peut remplacer le gingembre par 2 cuillerées à café de curry.**

Crème d'ail

Pour 4-5 personnes

les gousses de 2 têtes d'ail

2 oignons

300 g de pommes de terre
à soupe

2 c. à soupe d'huile d'olive

1/2 litre de lait

1/2 litre d'eau

sel, poivre

Toute l'année

Promis — juré, même après une grande assiette de cette délicieuse soupe, vous pourrez murmurer un secret à l'oreille de votre voisin(e)! Pas de problème d'haleine, l'ail égermé et bouilli se digère parfaitement.

Mettez les gousses d'ail à tremper dans un bol d'eau tiède : elles s'éplucheront très facilement. Ôtez les germes et coupez les gousses grossièrement. Épluchez et émincez les oignons. Pelez et lavez les pommes de terre, coupez-les en morceaux.

Dans une cocotte, faites revenir l'ail dans l'huile à feu très doux pendant quelques minutes. Ajoutez les oignons, faites cuire 3 à 4 minutes de plus, puis incorporez les pommes de terre. Remuez pendant 1 à 2 minutes pour éviter qu'elles n'attachent.

Versez le lait et l'eau. Salez. Laissez mijoter à feu doux jusqu'à ce que les pommes de terre soient bien cuites.

Hors du feu, mixez et rectifiez l'assaisonnement.

Velouté de brocolis

Pour 5 personnes

400 g de brocolis

100 g de carottes

200 g de pommes de terre
à soupe

100 g d'échalotes

1 c. à soupe d'huile d'olive

1 litre d'eau

sel, poivre

Automne — Hiver —
Printemps

Lavez les brocolis et détaillez-les en bouquets. Épluchez les carottes et les pommes de terre puis coupez-les en petits morceaux. Pelez et émincez les échalotes.

Mettez-les dans une casserole et faites-les revenir dans l'huile 5 minutes à feu doux. Ajoutez tous les autres légumes avec l'eau. Salez. Couvrez et laissez cuire 30 minutes environ. Tous les légumes doivent être bien cuits.

Hors du feu, mixez le tout et rectifiez l'assaisonnement.

Cette soupe est naturellement très onctueuse, mais on peut y ajouter une cuillerée de crème fraîche au moment de servir.

Idée **Variante à la Vache qui rit : au moment de mixer, ajoutez 8 portions de Vache qui rit. Le fromage fondu remplace alors la crème fraîche.**

Crème de champignons

Pour 4 personnes

4 échalotes

600 g de champignons de Paris (ou 500 g de champignons en boîte)

2 c. à café d'huile d'olive

1/2 litre d'eau

10 cl de lait

10 cl de crème fleurette

sel, poivre

Toute l'année

Cette recette est l'une de celles qui m'ont réconciliée avec les soupes maison : si simple, si rapide (surtout si vous utilisez une boîte de champignons) et tellement goûteuse !

Épluchez et émincez les échalotes.
Nettoyez les champignons et coupez-les en morceaux.
Si vous choisissez des champignons en boîte, rincez-les.

Dans une cocotte, faites revenir les échalotes dans un peu d'huile, pendant 5 minutes environ. Ajoutez les champignons, mélangez le tout. Couvrez et laissez cuire encore quelques minutes. Versez l'eau, le lait et la crème, salez et laissez frémir 15 minutes.

Retirez du feu et mixez la préparation. Rectifiez l'assaisonnement.

Potiron à la cannelle

Pour 5 personnes

900 g de chair de potiron (1,4 kg environ)

2 oignons

1 petit morceau de gingembre frais

3/4 de litre d'eau

1 c. à soupe d'huile d'olive

2 c. à soupe de cannelle

noix de muscade

sel, poivre

Automne — Hiver — Printemps

Épluchez le potiron, ôtez les filaments et les graines puis coupez la chair en morceaux.

Pelez et émincez l'oignon.

Épluchez le gingembre et émincez-le finement.

Dans une cocotte, faites revenir les oignons dans l'huile avec le gingembre et la moitié de la cannelle pendant environ 5 minutes. Ajoutez les morceaux de potiron et faites-les revenir 5 minutes. Versez l'eau, salez, couvrez et portez à ébullition. Réduisez le feu et laissez cuire environ 20 minutes, jusqu'à ce que la chair du potiron soit parfaitement cuite.

Retirez du feu et mixez bien la préparation. Rectifiez l'assaisonnement puis râpez un peu de noix de muscade et ajoutez le reste de la cannelle.

Velouté de potiron au bacon

Pour 5 personnes

1 kg de chair de potiron
2 oignons
1 gousse d'ail
2 c. à café d'huile d'olive
10 cl de crème fleurette
3/4 de litre d'eau
5 tranches de bacon
noix de muscade
sel, poivre

Automne — Hiver —
Printemps

Épluchez le potiron, ôtez les filaments et les graines puis coupez la chair en morceaux. Pelez et émincez l'oignon. Épluchez la gousse d'ail (après l'avoir laissée tremper quelques minutes dans de l'eau tiède pour pouvoir retirer facilement la peau) et émincez-la.

Dans une cocotte, faites revenir les oignons et l'ail dans l'huile pendant quelques minutes. Ajoutez la chair de potiron et l'eau. Salez. Portez à ébullition puis réduisez le feu et laissez cuire environ 25 minutes, jusqu'à ce que la chair du potiron soit tendre.

Pendant ce temps, faites revenir les tranches de bacon dans une poêle. Réservez.

Hors du feu, mixez. Ajoutez la crème fraîche, râpez un peu de noix de muscade et vérifiez l'assaisonnement.

Au moment de servir, ajoutez les tranches de bacon sur chaque assiette.

Idée **Cette recette se prête à toutes sortes de variantes, comme celle à l'avocat.**

Potiron à l'avocat **Au moment de servir, ajoutez 1 ou 2 avocats (selon les goûts) que vous aurez coupés en petits dés.**

Velouté de potimarron

Pour 6 personnes
1 kg de potimarron
2 oignons
2 c. à café d'huile d'olive
1 litre d'eau
noix de muscade
sel, poivre

Automne
(octobre à décembre)

Le potimarron est un cousin du potiron. Il est plus petit et de couleur orange foncé, presque rouge. Sa production est assez réduite et il n'est pas toujours facile d'en trouver : cherchez-en plutôt sur les marchés.

Nettoyez bien le potimarron : grattez la peau mais ne l'épluchez pas, ôtez les graines. Coupez-le en morceaux. Pelez les oignons et émincez-les.

Dans une cocotte, faites-les revenir dans un peu d'huile pendant quelques minutes. Ajoutez le potimarron et l'eau. Salez. Portez à ébullition puis réduisez le feu et laissez cuire environ 20 minutes, jusqu'à ce que la peau du potimarron soit tout à fait tendre.

Quand celui-ci est cuit, retirez la cocotte du feu. Mixez finement, râpez un peu de noix de muscade et vérifiez l'assaisonnement.

Servez bien chaud.

Idée **Cette soupe est tout à fait délicieuse ainsi, avec son petit goût de châtaigne, mais on peut y ajouter un peu de crème fraîche au moment de servir.**

Soupe de pois chiches de l'Orient

Pour 6 personnes

400 g de pois chiches en conserve

600 g de tomates bien mûres (ou de tomates pelées en conserve)

2 oignons

3 gousses d'ail

1 1/2 c. à café de curry en poudre

1 1/2 c. à café de cumin en poudre

1 bouquet de persil plat

1 c. à soupe d'huile d'olive

1 bonne poignée de raisins secs

1/2 litre d'eau

sel, poivre

Toute l'année

Rincez et égouttez les pois chiches. Lavez les tomates, ôtez le pédoncule et coupez-les en morceaux. Nettoyez le persil, effeuillez-le. Épluchez et émincez l'oignon et l'ail.

Dans une casserole, faites revenir les épices dans l'huile d'olive. Puis ajoutez l'ail et l'oignon et laissez cuire pendant 5 minutes à feu très doux. Ajoutez les tomates, les pois chiches et le persil. Versez l'eau et salez. Faites cuire à couvert et à feu doux pendant environ 30 minutes.

Retirez du feu et mixez grossièrement. Ajoutez les raisins secs 5 minutes avant de servir.

Potage du Barry

Pour 4 personnes

1 oignon

1 petit poireau

300 g de chou-fleur

2 c. à café d'huile d'olive

1/2 litre de lait

1/4 de litre d'eau

sel, poivre

Printemps — Été —
Automne

Cette recette a été une quasi-révélation pour moi.
Je n'aurais jamais imaginé que le chou-fleur, qui est
un légume qui ne m'attire pas beaucoup (ou alors gratiné,
avec beaucoup de gruyère), puisse donner une soupe
aussi onctueuse !

Épluchez et émincez l'oignon. Coupez le poireau en petites
rondelles et lavez-le abondamment. Lavez le chou-fleur et
préparez-le en bouquets.

Dans une cocotte, faites revenir l'oignon et le poireau dans
un peu d'huile pendant quelques minutes, à feu doux et
à couvert. Ajoutez le chou-fleur, l'eau et le lait. Salez, couvrez
et portez à ébullition. Laissez bouillonner 10 à 15 minutes.

Retirez du feu et mixez. Rectifiez l'assaisonnement.

Idée **Le chou-fleur donne une soupe extrêmement onctueuse.
On peut y ajouter, selon son envie, un peu de fromage râpé.**

Chou-fleur au cumin

Pour 6 personnes

500 g de chou-fleur

1 oignon

1 c. à café de graines de cumin

1/2 litre de lait

1/2 litre d'eau

2 c. à café d'huile d'olive

1/2 c. à café de graines de cumin en supplément

sel, poivre

Printemps — Été — Automne

Lavez le chou-fleur et préparez-le en bouquets. Épluchez et émincez l'oignon.

Dans une cocotte, faites griller la cuillerée à café de graines de cumin dans un peu d'huile pendant 1 minute ou 2. Ajoutez l'oignon et faites-le revenir à feu doux jusqu'à ce qu'il devienne translucide. Mettez le chou-fleur, le lait et l'eau puis salez. Portez à ébullition et laissez frémir 10 à 15 minutes.

Hors du feu, mixez et rectifiez l'assaisonnement. Saupoudrez la soupe des graines de cumin restantes avant de servir.

Pois cassés au lard

Pour 6 personnes

300 g de poireaux

150 g de carottes

2 oignons

300 g de pois cassés

1 c. à soupe d'huile d'olive

1,5 litre d'eau

thym, laurier

sel, poivre

2 tranches de poitrine fumée

Automne — Hiver — Printemps

Cette soupe est assez épaisse et très complète. C'est un plat d'hiver idéal, totalement réconfortant!

Lavez les légumes, épluchez-les et coupez-les en petits morceaux. Rincez les pois cassés à l'eau froide.

Dans une cocotte, faites revenir sur feu doux dans l'huile d'olive l'oignon et le poireau pendant 5 minutes, en remuant régulièrement. Puis mouillez avec l'eau, portez à ébullition, ajoutez les pois cassés, les carottes, le thym et le laurier (liez-les ensemble et accrochez-les au couvercle : il sera plus simple de les retirer en fin de cuisson). Salez légèrement et poivrez. Laissez cuire 30 à 40 minutes à couvert et à feu doux.

Pendant ce temps, coupez la poitrine fumée en petits bâtonnets. Faites-les revenir dans une poêle et réservez.

Quand les pois cassés sont bien tendres, ôtez le thym et le laurier et mixez finement. Rectifiez l'assaisonnement et ajoutez les lardons. Attention : ces derniers étant salés, la soupe ne doit pas trop l'être.

Lentilles du Puy à la coriandre

Pour 6 personnes

500 g de lentilles du Puy

2 oignons

2 c. à soupe d'huile d'olive

2 litres d'eau

le jus d'un citron

1 bouquet de coriandre fraîche

quelques feuilles de menthe

sel, poivre

Toute l'année

Rien de plus simple à cuisiner que les lentilles. Si la cuisson est un peu longue – et c'est là l'unique inconvénient –, le résultat est un vrai régal !

Rincez les lentilles (sauf indication contraire figurant sur l'emballage, il n'est plus nécessaire de faire tremper les lentilles). Épluchez et émincez les oignons.

Dans une cocotte, faites-les revenir à feu doux avec 1 cuillerée à soupe d'huile d'olive, en remuant de temps en temps. Quand ils sont translucides, ajoutez les lentilles et l'eau. Salez. Faites cuire à feu doux pendant 45 minutes, jusqu'à ce que les lentilles soient bien cuites.

Ajoutez le jus du citron et le reste d'huile d'olive. Mixez et rectifiez l'assaisonnement.

Hachez finement les feuilles de coriandre et de menthe. Saupoudrez-en la soupe avant de servir.

Lentilles du Puy à la saucisse de Morteau

Pour 8 personnes
400 g de lentilles du Puy
1 oignon
1 carotte
1 c. à café d'huile d'olive
2 litres d'eau
1 bouquet garni
1 saucisse de Morteau

Automne — Hiver —
Printemps

Rincez les lentilles (sauf indication contraire figurant sur l'emballage, ce n'est plus la peine de faire tremper les lentilles). Épluchez et émincez l'oignon et la carotte en rondelles.

Dans une cocotte, faites revenir l'oignon dans l'huile d'olive en remuant de temps en temps. Puis ajoutez la carotte et les lentilles. Remuez le tout.

Versez l'eau, ajoutez le bouquet garni (accrochez-le au couvercle : il sera alors plus simple à retirer en fin de cuisson) et la saucisse de Morteau. Salez légèrement.

Portez à ébullition puis baissez le feu et laissez mijoter au moins 45 minutes. Quand les lentilles sont bien cuites, ôtez le bouquet garni et la saucisse de Morteau. Réservez-la.

Mixez longuement les lentilles afin que la soupe soit la plus fine possible. Épluchez la saucisse, coupez-la en rondelles, puis chaque rondelle en 4. Rectifiez l'assaisonnement de la soupe. Ajoutez les petits morceaux de saucisse.

Céleri au bleu d'Auvergne

Pour 6 personnes

1 boule de céleri-rave

2 oignons

2 c. à café d'huile d'olive

1 litre d'eau

100 g de bleu d'Auvergne

sel, poivre

Automne — Hiver —
Printemps

Épluchez le céleri et coupez-le en morceaux. Pelez les oignons et émincez-les.

Dans une cocotte, faites revenir les oignons dans l'huile d'olive, à feu doux et à couvert, jusqu'à ce qu'ils deviennent translucides, en remuant de temps en temps. Ajoutez les morceaux de céleri et l'eau. Salez légèrement.

Couvrez et portez à ébullition puis réduisez le feu et laissez cuire pendant 25 minutes environ, jusqu'à ce que le céleri soit bien tendre.

Retirez du feu et ajoutez les 3/4 du bleu d'Auvergne. Mixez finement et rectifiez l'assaisonnement. Coupez le reste du fromage en tout petits morceaux et ajoutez-les au moment de servir.

Idée **On peut également proposer des croûtons.**

Soupe de châtaignes aux lardons

Pour 8 personnes

1 carotte

1 oignon

1 branche de céleri

2 gousses d'ail

2 c. à café d'huile d'olive

600 g de châtaignes
(marrons entiers au naturel,
en conserve)

1 bouquet garni

1,5 litres d'eau

sel, poivre

400 g de poitrine fumée

Hiver

Les châtaignes donnent une légère nuance sucrée à cette soupe, mais celle-ci s'équilibre parfaitement avec les lardons grillés.

Épluchez la carotte et coupez-la en rondelles. Ôtez les feuilles de la branche de céleri, lavez-la et coupez-la en petits morceaux. Pelez et émincez l'oignon et l'ail.

Dans une cocotte, faites revenir à feu doux tous ces légumes dans l'huile, pendant 5 minutes environ. Remuez de temps en temps. Rincez les châtaignes. Ajoutez-les ainsi que le bouquet garni et l'eau.

Salez et portez à ébullition. Puis réduisez le feu et laissez cuire à couvert pendant 40 minutes. Quand les châtaignes sont bien cuites, retirez la cocotte du feu et enlevez le bouquet garni. Mixez finement.

Rectifiez l'assaisonnement sans trop saler (les lardons apporteront leur part de sel). Coupez la poitrine fumée en petits dés.

Faites chauffer une poêle et faites-y revenir les lardons sans matière grasse, jusqu'à ce qu'ils soient dorés. Ajoutez-les au moment de servir.

Note En dehors de la période des fêtes de fin d'année, il n'est pas toujours facile de trouver des conserves de marrons entiers au naturel. Mais l'utilisation de châtaignes fraîches demande beaucoup plus de temps : il faut les éplucher puis les ébouillanter pour en retirer la peau.

Crème de verdure au chorizo

Pour 6 personnes
500 g d'épinards frais
125 g d'oseille fraîche
125 g de pissenlits frais
2 échalotes
1 c. à soupe d'huile d'olive
1,3 litres d'eau
1 petit chorizo
1 pincée de noix
de muscade
sel, poivre

Toute l'année

Préparez et lavez à grande eau les différentes verdures. Épluchez et émincez les échalotes.

Mettez-les dans une cocotte et faites-les revenir dans l'huile, à feu doux, pendant 5 minutes environ. Ajoutez les différentes verdures et faites-les revenir quelques minutes. Versez l'eau, salez. Couvrez et laissez cuire à feu doux pendant 30 minutes environ.

Pendant ce temps, coupez le chorizo en rondelles. Faites-les poêler quelques minutes. Jetez la graisse de cuisson et réservez au chaud. Retirez la soupe du feu.

Mixez-la finement et rectifiez l'assaisonnement en ajoutant de la noix de muscade. Incorporez les rondelles de chorizo au moment de servir.

Idée On peut remplacer les pissenlits par de l'oseille, la soupe sera alors un peu plus acide. On peut également les remplacer par d'autres verdures : fanes de radis, fanes de navets nouveaux, etc.

Note Printemps : c'est à cette période que l'on trouve les différentes verdures fraîches, notamment sur les marchés, mais la saison des pissenlits est très courte car ils deviennent impropres à la consommation dès qu'ils fleurissent.
Prenez soin de laver toutes les verdures abondamment.
Elles représentent un très grand volume – prévoyez un grand récipient pour les cuire – mais elles réduisent énormément : votre cocotte se retrouvera finalement à peine remplie au quart !
Été — Automne — Hiver : épinards et oseille se trouvent surgelés.
Le temps de préparation est alors réduit à 10 minutes.

Soupe de chou portugais au haddock

Pour 8 personnes

**800 g de chou portugais
(ou de chou vert)**

**400 g de pommes de terre
à soupe**

200 g de carottes

2 gousses d'ail

1,2 litres d'eau

1 filet de haddock

1 c. à café d'huile d'olive

sel, poivre

Printemps — Automne —
Hiver

Effeuillez le chou, coupez-le en petits morceaux en ôtant le trognon. Pelez les autres légumes, coupez-les en petits morceaux. Épluchez les gousses d'ail et émincez-les.

Dans une casserole, versez l'eau froide, ajoutez les morceaux de pommes de terre et l'ail. Salez légèrement. Portez à ébullition puis réduisez le feu et laissez cuire à couvert pendant 10 minutes. Ajoutez les petits morceaux de chou et de carottes. Poursuivez la cuisson pendant 20 minutes.

Pendant ce temps, préparez le haddock : décollez la chair de la peau et vérifiez qu'il ne reste pas d'arêtes. Coupez le filet en petits morceaux. Réservez.

Les légumes sont cuits lorsque les morceaux de pommes de terre commencent à se défaire et que les morceaux de carottes sont bien tendres. Retirez alors du feu.

Mixez très grossièrement. Rectifiez l'assaisonnement en faisant attention que la soupe ne soit pas trop salée et poivrée (le poisson fumé est assez salé). Ajoutez les morceaux de haddock cru avant de servir.

Note **Printemps : c'est la saison pendant laquelle on trouve les choux portugais, verts et allongés.**

Carottes à la coriandre fraîche

Pour 6-7 personnes

1 kg de carottes

500 g d'oignons

1/2 c. à café de coriandre en poudre

2 c. à soupe d'huile d'olive

1 litre d'eau

10 cl de crème fleurette

1 bouquet de coriandre fraîche

Toute l'année

Cette soupe est absolument délicieuse au printemps, préparée avec des carottes nouvelles.

Épluchez et coupez les carottes en rondelles.
Pelez et émincez les oignons.

Mettez-les dans une cocotte et ajoutez la coriandre en poudre. Faites revenir dans l'huile à feu très doux pendant 5 minutes environ, jusqu'à ce qu'ils soient translucides. Ajoutez les carottes et mélangez le tout. Versez l'eau et salez.

Portez à ébullition puis réduisez le feu et laissez cuire doucement pendant 30 minutes environ.
Il faut que les carottes soient très tendres. Hors du feu, mixez et rectifiez l'assaisonnement, puis ajoutez la crème.

Hachez finement les feuilles de coriandre et parsemez-les au moment de servir.

Carottes au lait de coco

Pour 8 personnes

1,3 kg de carottes

1,5 litres d'eau

3 beaux oignons nouveaux

**1 c. à café de coriandre
en poudre**

**1 c. à café de cumin
en poudre**

**1 c. à café de cannelle
en poudre**

20 cl de lait de coco

sel, poivre

Toute l'année

Épluchez et coupez les carottes en rondelles. Mettez-les dans une cocotte remplie d'eau salée et laissez cuire 30 minutes environ à feu doux après ébullition. Il faut que les carottes soient très tendres.

Hors du feu, ajoutez les épices, les oignons nouveaux crus coupés en morceaux et le lait de coco. Mixez finement et rectifiez l'assaisonnement.

Idée **Cette soupe est également délicieuse servie froide.**

Note **Au printemps : avec des oignons nouveaux.**
Toute l'année : en les remplaçant par 2 bons gros oignons. Dans ce cas, après les avoir épluchés et émincés, commencez par les faire revenir dans un peu d'huile avec les épices, avant de les ajouter aux carottes.

Petits pois à la menthe

Pour 6 personnes

600 g de petits pois

**4 oignons nouveaux
de préférence**

**7 ou 8 feuilles de salade
à cuire (laitue, batavia)**

1 litre d'eau

15 cl de crème fleurette

2 beaux brins de menthe

sel, poivre

Tout l'année

Cette soupe sera divine si vous utilisez des petits pois frais, au printemps. Le reste de l'année, les petits pois surgelés feront très bien l'affaire.

Écossez les petits pois. Épluchez et émincez les oignons. Lavez et hachez grossièrement les feuilles de salade.

Mettez-les dans une casserole avec les oignons et les petits pois. Ajoutez l'eau et salez. Portez à ébullition. Réduisez le feu et laissez frémir 25 minutes.

Hors du feu, ajoutez la crème fleurette et les feuilles de menthe. Mixez finement. Rectifiez l'assaisonnement et servez.

Idée **Cette soupe peut également être servie froide.**

Note **Printemps : saison des petits pois frais et des oignons nouveaux ; toute l'année si vous utilisez des pois congelés et remplacez les oignons nouveaux par 2 gros oignons.**

Courgettes à la Vache qui rit

Pour 4-5 personnes

1 kg de courgettes

3 oignons nouveaux

1/2 litre d'eau

1 pincée de cumin
en poudre

8 portions de Vache qui rit

sel, poivre

Printemps — Été —
Automne

Encore une recette super facile! L'onctuosité de la Vache qui rit s'ajoute encore à celle de la courgette : c'est une garantie de succès auprès des plus petits.

Nettoyez les courgettes, ôtez les extrémités et coupez-les en morceaux. Rincez les oignons, coupez-les en 4.

Mettez tous les morceaux dans une cocotte, ajoutez l'eau, le cumin en poudre et salez. Faites cuire à feu doux environ 15 minutes, jusqu'à ce que les courgettes soient bien tendres.

Hors du feu, ajoutez les portions de fromage et mixez finement. Rectifiez l'assaisonnement.

Astuce **Avant de mixer, réservez une partie du bouillon de cuisson. Les courgettes peuvent rendre beaucoup d'eau et la soupe serait alors trop liquide. Si nécessaire, réincorporez tout ou une partie de ce bouillon en cours de mixage.**

Soupe d'orties

Pour 5 personnes

2 oignons

500 g de pousses d'orties

300 g de pommes de terre
à soupe

1 c. à soupe d'huile d'olive

1 litre d'eau

15 cl de crème fleurette

sel, poivre

Printemps

Paradoxe de notre époque, cette soupe « des fossés » fait fureur en ville où elle devient tout à fait branchée ! L'approvisionnement en orties est la seule difficulté : plus d'une fois j'en ai gardé des souvenirs cuisants, car malgré les gants, ces plantes sont redoutables.

Épluchez et émincez les oignons. Rincez les orties. Pelez les pommes de terre et coupez-les en morceaux.

Dans une cocotte, faites revenir à feu très doux les oignons dans l'huile pendant 5 minutes environ. Ajoutez les orties et couvrez. Dès qu'elles ont réduit de volume, versez les pommes de terre et l'eau. Salez. Portez à ébullition puis réduisez le feu et laissez cuire 20 minutes à feu doux.

Hors du feu, mixez finement. Rectifiez l'assaisonnement. Ajoutez la crème au moment de servir.

Note Les orties cueillies doivent être de jeunes pousses. Pour cela, la période idéale se situe pendant les mois d'avril et de mai. Les plantes choisies ne doivent pas dépasser 30 à 40 cm et il ne faut cueillir que la partie supérieure (environ 15 cm). Délaissez les orties en fleur, elles sont impropres à la consommation.

Astuce Ne cueillez pas les orties près de champs de céréales, ceux-ci étant trop traités. Le lieu idéal serait un jardin ou une pâture. Munissez-vous de gants épais, type cuisine ou jardinage.

Gaspacho

Pour 8 personnes

4 beaux oignons nouveaux

2 gousses d'ail

1 poivron (vert ou jaune)

1 concombre

1,3 kg de tomates fraîches
(ou tomates pelées
en conserve)

1/2 c. à café de sucre
en poudre

sel, poivre

3 c. à soupe d'huile d'olive

3 c. à soupe de vinaigre
balsamique

20 cl d'eau

quelques gouttes
de Tabasco

Croûtons :

1 tranche de pain (pain
au levain ou aux céréales
par exemple) par convive.

2 c. à soupe d'huile d'olive

Été

Le gaspacho est LA soupe froide par excellence. Celle qui a franchi les frontières et gagné une renommée internationale. Il en existe sans doute autant de versions que de familles en Andalousie. J'adore cette recette, j'aime ce festival de goûts d'autant plus marqué que la soupe n'est pas totalement mixée.

Nettoyez tous les légumes. Épluchez les oignons et les gousses d'ail. Émincez-les. Coupez le poivron en petites lamelles, après avoir ôté toutes les graines. Ne pelez pas le concombre (ou une épluchure sur deux si la peau est épaisse, la couleur verte est importante). Coupez-le en petits morceaux. Ôtez le cœur des tomates et coupez la chair en morceaux.

Mettez tous les légumes dans un grand saladier. Ajoutez le sucre, du sel et du poivre, l'huile et le vinaigre.

Mixez grossièrement en versant l'eau pour obtenir une consistance un peu plus liquide. Vérifiez l'assaisonnement en ajoutant éventuellement plus de vinaigre, ou quelques gouttes de Tabasco, selon votre goût.

Mettez au réfrigérateur au moins une heure avant de servir.

Croûtons La veille ou le matin, coupez le pain en petits dés et laissez-les sortis pour qu'ils se dessèchent. Après avoir préparé la soupe, faites chauffer à feu très doux l'huile d'olive dans une poêle. Ajoutez tous les croûtons en remuant souvent afin que l'huile d'olive soit bien répartie. Laissez dorer à feu doux. Servez à part.

Soupe d'été à la betterave

Pour 5 personnes

6 betteraves moyennes crues

8 échalotes

1 litre d'eau

le jus de 3 oranges

2 c. à café de sucre en poudre

2 c. à soupe de vinaigre balsamique

sel, poivre

le zeste d'1 orange

15 cl de crème fraîche

Été

Préparez cette soupe, ne serait-ce que pour le plaisir des yeux… celui des papilles suivra !

Pelez les betteraves et coupez-les en dés. Épluchez et émincez les échalotes. Versez le tout dans une casserole et ajoutez l'eau. Portez à ébullition puis réduisez le feu et laissez cuire environ 30 minutes. Il faut que les betteraves soient bien tendres.

Hors du feu, ajoutez le jus d'orange et le sucre. Mixez finement, ajoutez le vinaigre, salez et poivrez. Incorporez le zeste avant de laisser refroidir. Mettez au réfrigérateur au moins 1 heure.

Décorez de crème fraîche au moment de servir.

Soupe glacée de concombre à la menthe

Pour 4 personnes

1 concombre

2 tomates

1 branche de céleri

1 gousse d'ail

3 ou 4 brins de menthe

1/4 de litre de lait

sel, poivre

Été

Lavez tous les légumes. N'épluchez pas le concombre (ou une épluchure sur deux si la peau est très épaisse). Coupez-le en petits morceaux. Enlevez le pédoncule des tomates et coupez-les en morceaux. Ôtez les fils du céleri et émincez-le finement. Lavez les brins de menthe et effeuillez-les.

Épluchez l'ail et pressez-le dans un saladier. Ajoutez tous les légumes ainsi que le lait. Salez et poivrez.

Mixez complètement, en ajoutant au besoin un peu d'eau. Mettez au réfrigérateur et servez glacé.

Crème de courgettes au curry

Pour 4-5 personnes

1 kg de courgettes

1 oignon

1 gousse d'ail

1 c. à soupe d'huile d'olive

2 c. à café de curry

1/2 litre d'eau

2 yaourts veloutés

sel, poivre

Été

Lavez les courgettes, coupez-les en morceaux. Épluchez l'ail et l'oignon, émincez-les. Faites-les revenir dans une cocotte avec un peu d'huile d'olive, à feu doux. Ajoutez le curry et laissez cuire encore quelques minutes. Puis versez les courgettes et l'eau. Salez.

Faites cuire 15 minutes environ, jusqu'à ce que les courgettes soient bien tendres. Mixez finement et mettez à refroidir.

Quand la soupe est bien froide, ajoutez les deux yaourts. Mélangez et rectifiez l'assaisonnement. Servez très frais.

Soupe glacée d'épinards à l'avocat

Pour 6 personnes

500 g d'épinards

2 oignons

1 c. à café d'huile d'olive

1/2 litre d'eau

1/2 litre de lait

2 avocats

le jus d'1 citron vert

2 yaourts brassés

sel, poivre

noix de muscade

2 c. à café de sauce Worcestershire ou de sauce de soja

Printemps — Été

Nettoyez les feuilles d'épinards et lavez-les longuement.

Épluchez et émincez les oignons, mettez-les dans une cocotte. Faites-les revenir quelques minutes dans l'huile d'olive à feu très doux, jusqu'à ce qu'ils deviennent translucides. Puis ajoutez les épinards et laissez réduire quelques minutes avant de verser l'eau et le lait. Salez. Laissez cuire sur feu doux 15 minutes à couvert.

Hors du feu, mixez finement et mettez à refroidir.

Épluchez les avocats, coupez la chair en morceaux et arrosez-la avec le jus du citron vert.

Quand les épinards ont bien refroidi, ajoutez l'avocat et les yaourts et mixez à nouveau. Ajoutez une pincée de noix de muscade, relevez de sauce Worcestershire ou de sauce de soja. Mettez au frais au moins 1 heure.

Note **Printemps — Été : c'est la saison des épinards frais. Mais vous pouvez également en utiliser des surgelés.**

Vichyssoise

Pour 6 personnes

450 g de poireaux

500 g de pommes de terre
à soupe

1 oignon

1 c. à soupe d'huile d'olive

2/3 de litre d'eau

20 cl de lait

15 cl de crème fleurette

1 petit bouquet
de ciboulette

sel, poivre

Printemps — Été

Ôtez les extrémités vertes des poireaux et coupez leurs parties les plus blanches en petits morceaux. Lavez-les abondamment. Épluchez les pommes de terre et coupez-les en morceaux. Pelez et émincez l'oignon.

Dans une cocotte, faites revenir l'oignon 5 minutes dans l'huile, à couvert, puis ajoutez les poireaux. Mélangez l'ensemble et laissez encore revenir 5 minutes, toujours à couvert.

Versez les pommes de terre coupées en morceaux et l'eau. Salez. Couvrez et faites cuire à feu doux pendant 25 minutes, jusqu'à ce que les légumes soient cuits. Écumez si nécessaire. Ajoutez le lait et prolongez la cuisson de 5 minutes.

Retirez du feu et mixez longuement jusqu'à l'obtention d'une soupe très onctueuse. Rectifiez l'assaisonnement. Laissez la soupe refroidir puis mettez-la au moins 1 heure au réfrigérateur.

Juste avant de servir, ajoutez la crème fraîche, mélangez bien.

Rincez les brins de ciboulette, coupez-les et parsemez-en la soupe.

Crème de carottes au lait de coco et aux épices

Pour 4 personnes

300 g de carottes

15 cl de lait

15 cl d'eau

1/2 c. à café de coriandre en poudre

1 c. à café de cannelle

4 pincées de noix de muscade

15 cl de lait de coco

150 g de lait concentré sucré

quelques gouttes d'extrait de vanille

20 g de noix de coco râpée

Toute l'année

Cette recette a été inventée par mon cuisinier, Fritz Talvin. À force de faire la soupe de carottes au lait de coco, il a eu envie de pousser l'idée jusqu'à une version sucrée.
Cette crème est absolument délicieuse. Elle me fait penser à ces desserts indiens un peu mystérieux, également à base de carottes.

Épluchez et lavez les carottes. Coupez-les en rondelles.

Mettez-les dans une casserole avec l'eau et le lait, la coriandre, la cannelle et la muscade. Faites cuire 30 minutes à feu doux, jusqu'à ce que les carottes soient très tendres.

Hors du feu, versez le lait de coco, le lait concentré sucré, quelques gouttes d'extrait de vanille, et mixez finement : la préparation doit avoir une consistance crémeuse.

Ajoutez la noix de coco râpée, mélangez à la cuillère.
Laissez refroidir puis mettez au frais au moins 1 heure.

Gâteau au chocolat au beurre salé

Pour 8 personnes

3 œufs

125 g de sucre

100 g de farine

200 g de chocolat noir
à 70 % de cacao

15 cl d'eau

125 g de beurre demi-sel

J'utilise presque toujours du beurre demi-sel en pâtisserie, et notamment avec le chocolat. Aucun danger que le gâteau ne soit salé ; en revanche, le goût du chocolat en sera rehaussé.

Dans un saladier, mélangez au batteur les œufs entiers et le sucre. Puis ajoutez la farine et continuez de battre jusqu'à ce que le mélange soit parfaitement homogène.

Faites préchauffer le four thermostat 6-7 (200 °C environ). Dans un récipient allant au four micro-ondes, cassez le chocolat en morceaux et ajoutez l'eau. Faites fondre 2 minutes.

Mélangez le chocolat fondu et l'eau puis ajoutez le beurre coupé en petits morceaux. Remettez 1 à 2 minutes au four micro-ondes puis remuez à nouveau.

Incorporez le chocolat fondu à la préparation et mélangez bien.

Versez la préparation dans un moule à cake beurré et mettez au four pendant 15 minutes.

Au moment de sortir le gâteau du four, celui-ci ne doit pas être tout à fait cuit dans sa partie centrale : vérifiez-le en enfonçant la lame d'un couteau.

Laissez refroidir 15 minutes avant de démouler.

© Marabout 2003
ISBN : 978.2.501.04055.6
Dépôt légal : Septembre 2007
40.3924.4/07

imprimé en Espagne par Graficas Estella